事实还是假象 FACT OR FAKE

香蕉有辐射吗？

[英]亚历克斯·伍尔夫 著　郭澍 译

科学真相大揭秘！

C1S K 湖南科学技术出版社·长沙

图书在版编目（ＣＩＰ）数据

事实还是假象．香蕉有辐射吗？科学真相大揭秘！／

（英）亚历克斯·伍尔夫著；郭澍译．— 长沙：湖南科学技术出版社，2024. 12.

ISBN 978-7-5710-3112-1

Ⅰ．Z228.2

中国国家版本馆 CIP 数据核字第 2024RF9923 号

Fact or Fake: The Truth about Science

First published in Great Britain in 2022 by Hodder and Stoughton

Copyright © Hodder and Stoughton Limited, 2022

All Rights Reserved.

著作权合同登记号：18-2024-107

事实还是假象： 香蕉有辐射吗？科学真相大揭秘！

SHISHI HAISHI JIAXIANG：XIANGJIAO YOU FUSHE MA? KEXUE ZHENXIANG DA JIEMI!

著　　者：[英] 亚历克斯·伍尔夫　　译　者：郭　澍

出 版 人：潘晓山　　　　　　　　　　责任编辑：李　叶　谷雨芹　谢俊木子

出版发行：湖南科学技术出版社

社　　址：长沙市芙蓉中路一段 416 号泊富国际金融中心

网　　址：http://www.hnstp.com

印　　刷：湖南省众鑫印务有限公司（印装质量问题请直接与本厂联系）

厂　　址：长沙市榔梨街道梨江大道 20 号

邮　　编：410600

版　　次：2024 年 12 月第 1 版

印　　次：2024 年 12 月第 1 次印刷

开　　本：880 mm×1230 mm　1/32

印　　张：3

字　　数：58 千字

书　　号：ISBN 978-7-5710-3112-1

定　　价：36.00 元

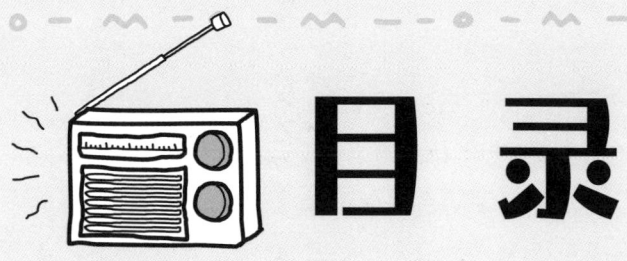

目 录

你能分清事实和假象吗？

水可以同时既沸腾又结冰！

你在逗我吗？！

原子内部99.999 999%的空间都是空的！

什么？！

开心果会自燃！

不可能！

时空旅行是不可能实现的。

太遗憾了！

（真是这样吗？）

关于科学，有哪些是人们以讹传讹的谎言？又有哪些是令人大跌眼镜的真相？翻开本书，一起来寻找答案吧——拨开真真假假的迷雾，探索背后的科学真理。这些时而神奇，时而怪诞，但绝对令人称奇的科学真相，一定会让你的亲朋好友对你刮目相看！

每一片雪花都是独一无二的

看着漫天雪花从空中飘落，你一定在想：每一片雪花真的都不相同吗？答案是，虽然有些雪花可能会极其相似，但几乎不可能有两片完全相同的雪花。

结论

真

科学揭秘

每一片雪花都是一朵冰晶。雪花的每一片"花瓣"都会以无数种排列方式令分支发生变形。雪花飘落时，哪怕一丁点温度和湿度的细微差异都会改变雪花冰晶的形状。一些科学家认为，雪花可能拥有的样式种类是宇宙中原子数量的两倍。因此根本不可能出现两片完全相同的雪花。

2

本杰明·富兰克林
发现了电

是真是假？

美国科学家本杰明·富兰克林（1706~1790年）的贡献极大地加深了我们对电的认识。他用静电做实验，向我们展示了电是如何在正负极之间流动的。不过，说是本杰明·富兰克林发现了电，这种说法是不对的。

科学揭秘

英国科学家威廉·吉尔伯特在比富兰克林早一百多年以前就开始研究电，而英国作家托马斯·布朗爵士在1646年就创造了"电（electricity）"这个词。

暴风雨中放风筝

富兰克林用一个非常危险的实验展示了闪电是一种电：他在一场电闪雷鸣的暴风雨中放风筝。风筝线被雨水淋湿后导电，使风筝线上系着的一把金属钥匙放出电火花。

结论……

假

物质有 3 种 状态

什么？难道我不在"状态"吗？

是真是假？

地球上的物质通常有3种状态：固体、液体和气体。不过，也有其他状态存在，其中一种就是等离子体。等离子体和气体类似，但等离子体带有正电。恒星就是由等离子体构成的，比如太阳。

结论

假

科学揭秘

和气体一样，等离子体没有固定形状和固定体积。它是由离子构成的，离子就是失去了部分或全部电子的原子。因此，等离子体带正电。

超冷物质

1995年，科学家创造出第五种物质状态。他们将一种物质的温度降到极低的状态，使其所有的原子聚集起来，形成一个"超级原子"。

光波和无线电波其实是同一个事物的两种不同形式

这个收音机的画质太差了！

是真是假？

我们的眼睛看到的光线和收音机用来调频的无线电波，都属于辐射——以波的形式在空气中传播的能量。光和无线电之间唯一的区别就是它们的波长。光的波长比无线电的波长短。

科学揭秘

辐射的形式多种多样，包括我们可以用来做爆米花的微波炉，还有医院用来看穿我们身体内部的X射线。所有这些辐射共同构成电磁波谱。

⋯⋯结论⋯⋯

真

一切运动的事物最终都会静止！

哇啊啊！

如果抛出一个球，它会垂直下落，然后落到地上就不动了。但其实只有当外力对它产生作用时，它才会停下来，这些外力包括重力、摩擦力等。如果在太空中抛出一个球，那么它会永远沿一条直线运动，除非对它施加外力，它才会停下来。

结论
假

科学揭秘

物体在没有任何外力的作用下会一直保持某个运动状态，科学家将这种现象称为"惯性"。正因为有惯性，我们乘坐交通工具才需要系好安全带。如果不用安全带将人固定在座位上的话，那么当行驶中的车辆撞到其他物体时，车内的人会由于惯性的作用继续向前运动。

物体遇热会膨胀

是真是假?

固体、液体和气体在加热时都会膨胀。比如,温度计的工作原理就是当温度升高时,里面的液体发生膨胀,从而使液体柱在玻璃管里上升。

盖子打不开怎么办?

如果玻璃瓶上的盖子拧不开,可求助成年人,请他们帮忙先把瓶子放到热水里泡几秒钟。热水会让金属盖子膨胀,从而更容易被拧开。

科学揭秘

当物质遇热时,其内部的原子振动频率加快,使物质的体积变大。液体加热时比固体膨胀得更明显,因为液体的分子之间结合得不紧密,稳定性较差。同理,气体遇热后膨胀的幅度也大于液体。

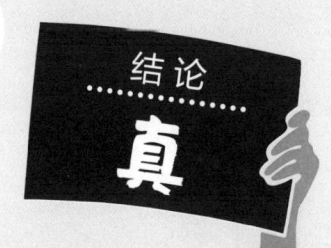

结论

真

闪电

不会两次

击中同一个地方

是真是假?

你也许常常听到这句话。人们通常用它来形容人不会接二连三地遇到倒霉事。然而，事与愿违，事实上，闪电是可以两次击中同一个地方的，而且它经常这么干。

备受闪电青睐的摩天大楼

在暴风雨天气中，那些高耸入云的摩天大楼更容易被闪电劈中，因为它们大大缩减了闪电需要在空中划过的距离。位于美国纽约的帝国大厦，一年大约要被闪电击中25次。

科学揭秘

闪电是电在云里积聚起来产生的放电现象。闪电一路向下，直到落在地上。闪电的火花随意击向地面，因此谁也无法保证它击过一个地方后就不会再击第二次。

结论

假

9

咻!
鞭子抽空气的响声是由于鞭子突破了声障而产生

是真是假?

如果你对着空气用力抽鞭子，会听到一道"咻"的声音。可鞭子并没有碰到任何物体啊，那这个声音是从哪儿发出来的呢？这其实是因为鞭子的一部分突破了声障，产生了"音爆"。

科学揭秘

研究发现，鞭子抽空气时，由于一股力量在沿着鞭子传递，速度越来越快，直至突破了声障，由此便产生了音爆。

什么是声障?

声音在空气中的传播速度大约是1 224千米/时。如果一个物体的速度超过声速，它就会在空气中形成冲击波，发出清脆的爆裂声或长长的轰鸣声。

结论

真

水流在南北半球顺着下水道流下时会顺着不同方向的旋涡

我们许多人都听过这样一种说法，说水流在南半球的下水道流下时呈顺时针涡流，而在北半球则是逆时针。这不是真的。实际上，不管在哪儿，它都是既可以顺时针流下，也可以逆时针流下。

科学揭秘

这种误解来自于一种叫"科里奥利效应"的物理现象。根据所处地点的不同，地球表面的旋转速度也不同。在地球的两极，旋转速度比较慢；而在赤道，旋转速度更快。这种现象会影响南北半球洋流和风暴系统的旋转方向。可是放在下水道这样大小的物体上，科里奥利效应的作用微乎其微，根本不足以影响水流在下水道下流的方向。

结论

假

11

一朵云 可能会有 35辆 公交车那么重

是真是假?

我们以为云朵不会很重,因为它们可以在天空中飘来飘去。可是云是由一种叫"水蒸气"的物质构成的,所以它一定有质量。并且一些云朵的质量还不小呢。

科学揭秘

既然云朵有质量,那么它如何能漂浮在空中呢?那是因为空气本身也有质量,同时还有密度。云朵之所以能漂浮,是因为构成云朵的水蒸气(潮湿空气)比空气中干爽的空气密度小,这样它就浮在空气上方了。

结论
真

给云朵测体重
一立方千米的云大约重50万千克,大约相当于35辆校车的重量。

从帝国大厦掉落的一枚硬币能把人砸死

有传言称,美国帝国大厦上掉下一枚硬币,在下落过程中蓄积的力量足以砸死下面站着的人。理论上来说,从帝国大厦这个高度降落的物体在落地时速度可达103千米/时,不过,由于硬币的形状,它还达不到这个下落速度。

科学揭秘

硬币表面较为平整,在下落过程中空气会将其托住,从而减缓它的加速度。所以帝国大厦上掉下来的硬币,落地时速度约为40千米/时。而硬币又如此之轻,它最多也只能把人砸出一块淤青。

结论

假

玻璃其实是一种液体

科学揭秘

在大教堂的窗户里，玻璃有时底部比顶部的要厚，仿佛玻璃是一种缓缓流动的液体，在几个世纪里慢慢向下流动一样。实际上，玻璃不是液体，但它也不是一种普通的固体。

玻璃是一种具有液体特性的固体。和普通固体不同，玻璃的分子缺乏规则的结构，可以四处流动。不过和液体不同，玻璃的结构异常稳固，其分子只是以极缓慢的速度流动。即使过上几十亿年，玻璃也只流动了一点点！

教堂玻璃

教堂的玻璃之所以不平整，是因为中世纪时制作玻璃的方法让它做出来时就是不平整的。

结论

假

一些金属遇水会 爆炸

是真是假？

某些被称为"碱金属"的金属，放进冷水里时会发生剧烈的反应。它们会呼啸着四处乱窜，有的甚至会爆炸。

结论
真

科学揭秘

碱金属，如锂、钠、钾等，遇水会发生反应，产生热量，释放氢气。这些热量会点燃氢气或让金属自身燃烧起来，引起火苗，甚至爆炸。

氧气是有颜色的

O₂

科学揭秘

光线照射在物体上时，物体会反射一部分光线，其余光线则被物体吸收。比如香蕉主要反射黄色光，而液态氧反射蓝色光，因此它是蓝色的。固体氧根据温度和压力的不同，会呈现不同的状态（称为"相态"），每一个相态的固体氧都会反射不同的颜色。

是真是假？

氧在气体状态下是无色的，而液体氧是淡蓝色的。固体氧可能呈现多种颜色，包括天蓝色、橙色和深红色等。

北极光

北极光之所以呈现出黄色和绿色，就是因为太阳中的粒子与大气中的氧气和氮气相撞而产生的。

结论

真

16

汽车比自行车难以推动
是因为它更重

呼! 真是太沉了!

是真是假?

质量大的物体比轻的物体更难撼动，这不假。不过这并不是因为它的质量，而是因为物体的惯性（参见第6页）。物体越重，它的惯性就越大。

结论
假

科学揭秘

物体的惯性是指其对运动变化的一种抗阻现象。惯性使得重物难以被挪动。同理，一旦重物处于运动状态，也很难让它停下来。因此，一旦将汽车开动起来，要想让它停止运动，必须要用非常强的力量。这也就是为什么汽车的刹车要比自行车的刹车有力得多。

17

质量越大的物体从高空下落的速度越快

是真是假？

如果从高处扔下两个同样大小但质量不同的球，哪一个会先落地？我们的常识可能会告诉我们是重的那一个。事实上，它们会同时落地。

科学揭秘

重力对物体的作用与它们的质量大小无关。实际上，物体下落的速度取决于它们的形状。物体的表面积越大，它受到的空气的阻力就越大，落下的速度也就越慢。

结论
假

铁锤和羽毛

月球上没有空气阻力，所以当阿波罗15号上的宇航员同时扔下一个铁锤和一片羽毛时，它们会同时落在地上。

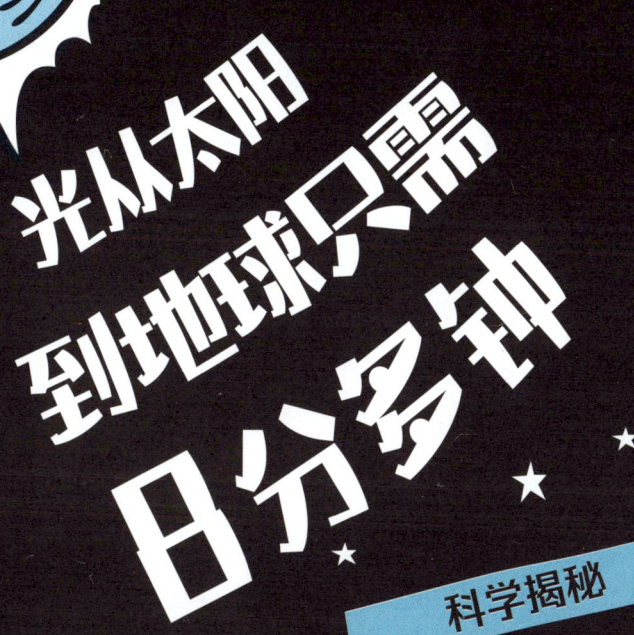

光从太阳到地球只需8分多钟

是真是假？

我们看到的天空中的太阳其实是8分20秒之前的太阳。这个时间就是太阳光到达地球的时间。安全提示：千万不要直视太阳哦。

太阳距离地球大约有1.5亿千米。光在真空里的行驶速度为将近30万千米/秒。因此光线从太阳到地球大约需要500秒，即8分20秒。

结论

真

液体氦可以

如果将氦气冷却至液态，它会产生一个和其他液体都不同的现象。那就是它能缓缓流过只有一个分子宽的狭小缝隙，即便将容器猛地倒置，液体氦也能保持不动。它还能向上流动，从盘子的边沿"爬"出来。

科学揭秘

这是怎么回事呢？原来是因为氦原子非常轻，而且相互之间的引力非常小。这使得液体氦可以毫无摩擦地流动，于是就有了这种奇特的性质。

20

倒流

还有固体氦?

氦气只有在非常低的温度（零下269摄氏度）下才会变成液态，并且在接近绝对零度（零下273.15摄氏度）时才会保持液态。再者，氦只有在极其大的压力下才会成为固体。

结论

真

时间在山上
比在海平面过得快

如果你在山顶放一块表，再在海滩上放一块，会发现海滩上那块表比山顶上的走得略微慢一些。这个快慢的差异虽然很细微，但也能测量出来。这说明每个地方的时间是不尽相同的，时间的快慢取决于我们身处何处。

科学揭秘

离地球越近，时间就过得越慢。这是因为像地球一样有着巨大质量的物体会使它周围的时间和空间发生扭曲。这一现象被称为"时间膨胀效应"，是由著名的物理学家爱因斯坦发现的。

细微的差别

科学家做了一个实验，来证明时间膨胀的存在。他们证明了每升高30厘米钟表就会走得更快一些，但这种效应极其微弱。以79岁的平均寿命为例，每升高30厘米，生命就会减少九百亿分之一秒。

结论

真

原子的结构就像一个微型太阳系

我们如果去查看早期的教科书里的原子结构图片，会发现上面画了许多小圆圈（代表电子），其围绕着一个大圆圈（代表原子核）旋转。这一结构看起来有点像一个微型的太阳系。不过这是不对的。

结论
··············
假

科学揭秘

我们能看到行星的运转，也能预测它未来的运转轨迹。但我们无法对电子有同样的认知，因为电子和行星不同，我们根本无法确切知道电子到底在哪儿。我们只知道电子具有什么能量，以及在哪里可能找到这些能量。

纯水能导电

是真是假?

我们通常都被教导不能让水和电接触，一定要让电器等远离水——这倒是真的。不过，纯水其实是一种很好的绝缘体，根本不会导电。如果想获得纯净无杂质的水，首先要将普通的水煮沸，然后让它在完全洁净的容器里冷凝。

科学揭秘

天上降下来的雨水或从水龙头里接出来的自来水都包含许多未分解的物质，比如矿物质、化学物质等。这些物质包含被称为"离子"的导电粒子，正是因为有了这些粒子，水才能导电。

结论
假

激光
能被困在水里

激光的光束很细,密度很大,因此能在空气中沿一条直线穿透很远的距离。不过它却可能会被困在一股水流里。

科学揭秘

用一个瓶子装满水,再在瓶子上钻一个小孔让水流出来,然后拿激光在有小孔的一侧照射瓶子,就能用水流困住激光了。当激光以某一角度照到水流的边缘时,它会被反射,而不会穿透水流,于是它在水流中变曲折了。这是因为水是一种比空气密度大的介质。

异曲同工

光纤电缆也是用这种方式把光束困住的。光束顺着光纤电缆传播时,会不断地在电缆壁上反弹。

结论
真

25

微波炉是从内而外加热食物的

人们一般都认为微波炉加热食物是由内而外的，但其实并不是这样。相反，它和所有烹饪工具一样，都是由外向内加热的。

旋转的分子

微波通过让食物分子旋转起来而给食物加热。两端具有正负电极的食物分子努力要和微波的电场保持一致，所以只好旋转起来。

科学揭秘

微波炉的工作原理是将微波传导到食物上。当微波遇到水、脂肪和糖时，它们会加热这些物质的分子。可是如果微波遇到的是像干皮馅饼这样水分很低的东西，位于馅饼内部的液体则会先被加热。大家的误解就是这么来的。

结论
假

26

原子的平均直径只有百亿分之一米

科学揭秘

原子的体积非常非常小。普通人一根头发的直径大约等于100万个原子的直径。在一张纸上用笔点一个圆点，大约包含500万个原子。如果将一颗苹果放大到地球那么大，那么苹果里每一个原子的大小大致相当于这颗苹果的原始大小。

原子是元素的最小粒子。不同元素的原子大小也不相同。最大的原子（铯原子）差不多是最小的原子（氦原子）的9倍大。

结论

真

27

水可以同时既沸腾又结冰

是真是假？

水在沸腾的同时还要结冰，这看上去似乎无法实现。水通常在0摄氏度结冰，而在100摄氏度时才会沸腾。不过，只要条件达到了，沸腾和结冰也是可以同时出现的。这一温度被称为"水的三相点"，即水的气态、液态和固态同时存在。

科学揭秘

水的三相点的温度为略高于冰点的0.01摄氏度，但最重要的是，气压（即物体表面由于大气的质量产生的压力）要低至0.006个大气压，这相当于标准条件下海平面气压的千分之六。

结论
真

钻石
是高度压缩的
煤

是真是假？

煤是由死去的植物历经数百万年高温和高压的煅烧、压缩，而形成的像石头一样坚硬的黑色物质。和钻石一样，煤的构成元素也是碳，不过和人们想象的不太一样，钻石并不是高度压缩的煤。

科学揭秘

大多数钻石比煤的"老祖宗"——地球上第一株陆地植物还要历史悠久。钻石在极高的温度和极大的压力条件下才能形成，这种条件只存在于地壳下的地幔中。人类开采的钻石都是在地幔中形成，然后被火山喷发带到地球表面的。

小行星的馈赠

小行星撞击地球带来的极端温度和压力，有时也会令钻石在地球表面形成。

结论
假

重力是两个物体之间的吸引力

我们感受到的重力是让我们待在地上的力。但物理学家爱因斯坦证实了我们感受到的重力实际上是由于巨大物体（在我们目前探讨的这个问题中指的是地球）的存在而导致的一种时间和空间的扭曲。

结论……
假

科学揭秘

如果将时间和空间想象成一块胶皮板，那么像地球这样一个巨大的物体放在上面就会令胶皮板变形，地球周围的一切事物，包括人，都会朝向它坠落。

光和重力

那么如何验证爱因斯坦的理论呢？如果重力是物体之间的吸引力，它就不会影响到光线，因为光是没有重力的。然而一束光的照射路径会因为地球重力的作用而产生偏转。

光

会将宇宙飞船

推进太空

未来的宇宙飞船可以把飞船的太阳帆所产生的太阳能当作驱使力。一旦燃料用尽，太阳能便会让它们在运行中保持加速度，前提是它们不能飞离太阳系太远。

结论

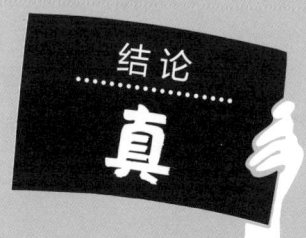

真

科学揭秘

光是由叫作"光子"的粒子组成的。光子没有质量，不过它们会产生势能。当光子撞上闪闪发亮的太阳帆时，会从太阳帆表面反射（或反弹），同时将势能传到太阳帆上，给宇宙飞船施加一个推力。每一次的推力都很小，可是它们会累积起来，极其细微地增加着宇宙飞船的速度。

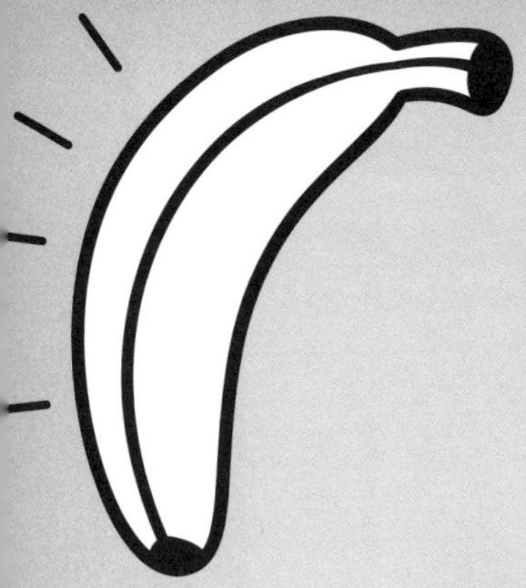

香蕉有辐射

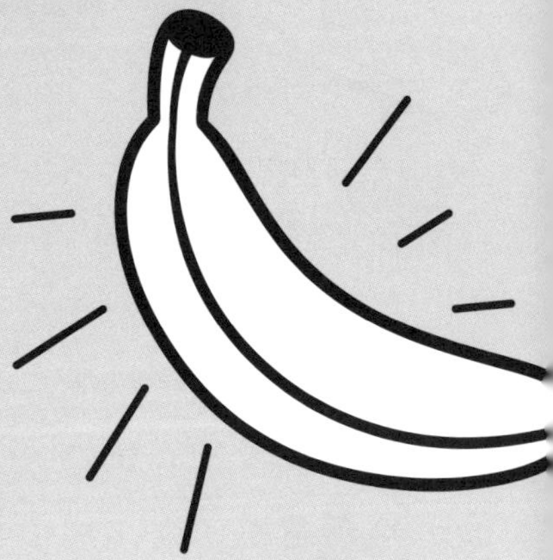

是真是假?

没错，香蕉确实有辐射，不过只是微乎其微的。香蕉富含钾元素，包括一种叫钾-40的放射性元素。不过我们根本无须担心香蕉的放射性，因为人本身的放射性就已经比香蕉高出许多。

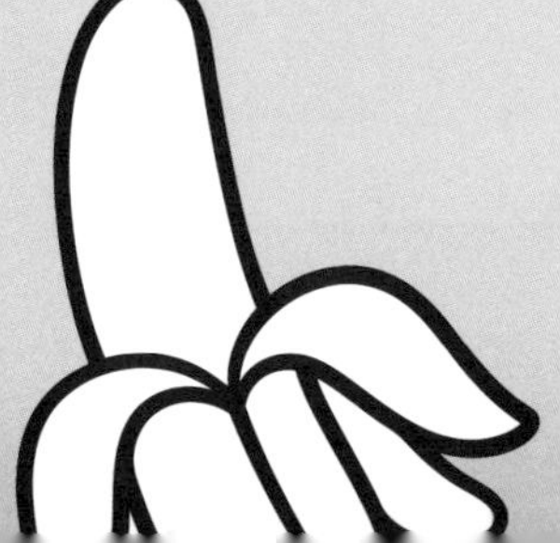

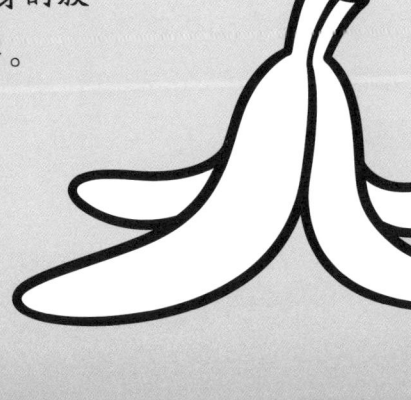

多少香蕉才够?

如果人要因香蕉辐射而死，需要躺在有大约5亿根香蕉的香蕉堆里。

科学揭秘

正常成年人体内有将近16毫克钾-40，是香蕉的280倍。吃一根香蕉，会让体内的钾-40含量增加0.4%，不过这一点儿增加的量，上一次厕所就没了。

结论
．．．．．．．．．．．．．．
真

33

X射线
的发现纯属偶然

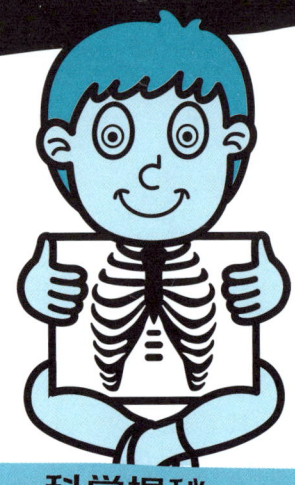

1895年11月8日,德国物理学家威廉·伦琴在特制的阴极射线管里释放电流,进行一项关于阴极射线(即电子束)的实验。他用黑色的纸包住射线管后,惊讶地发现射线管里发出一道绿色的光,照射到旁边的一块屏幕上。实验结束后,伦琴发现这道神奇的光束能穿透大多数物质,并将其称为"X射线"。

科学揭秘

X射线是一种电磁辐射,它能穿透柔软的组织,但无法穿过骨头,因此,它能帮助医生生成我们身体里骨骼的影像。

结论

真

34

速度和速率是一回事

倒霉! 要被开超速罚单了!

咻!

科学揭秘

速度指的是物体移动一定距离所需的时间。速率是物体改变位置所需的时间。如果一个物体快速地来回移动,它的速度很快,但速率为零,因为它没有改变位置。而描述物体的速率还需要考虑其移动的方向。描述物体的速度可以是"30千米/时",而描述速率则是"以30千米/时的速度向东移动"。

是真是假?

日常生活中,我们会以为速度和速率是一码事。不过对于物理学家来说,它们是两个不同的概念。

逃逸速度

如果能以4万千米/时的速度跳起来,就达到了足以脱离地球引力的速度,可以进入太空。这一现象在航天领域被称为"逃逸速度"。

结论
....

假

质量和重量是一回事

是真是假？

我们平时会说一个苹果的重量是100克，但其实这是苹果的质量，不是重量。我们常常混用这两个概念。在日常生活中，这两个概念混为一谈固然没什么问题，但在科学领域，这两个概念之间存在着重要的差别。

科学揭秘

质量是指一个物体中物质的量。重量用来衡量地球引力对物体产生的作用力。质量的单位是千克、克等。重量是一种力，它的单位是牛顿。一个质量为100克的苹果，其重量大约是1牛顿。

结论
假

有一种金属在室温下也能保持液态

是真是假？

我们以为金属在室温下都是固态，且几乎无一例外。不过，确实有一个例外：水银，学名叫"汞"。

金属的熔点

汞是唯一在常温下保持液态的金属，不过镓、铯、铷等元素的熔点也没比汞高多少。把镓握在手里就能将它熔化。

科学揭秘

汞原子里的电子紧密围绕在原子核周围，原子结构比其他金属都要稳定得多，且汞原子之间很少共享电子。因此汞原子之间的联系相对较弱，汞的熔点也就比较低。

结论

真

能量和质量是一回事

质能等价公式 $E=mc^2$（能量等于质量乘以光速的平方），爱因斯坦在这个史上极为著名的公式里向我们展示了能量和质量是同一事物的不同形式。质量是静止的能量，能量是运动的质量。

科学揭秘

在这个方程式中，爱因斯坦展示了物体越接近光速，其质量就越大。换句话说，物体运动产生的能量有一部分转化成了质量。

核能

能量可以转化为质量，质量同样也可以转化为能量。将原子的一部分质量转化为能量，就能得到核能。

结论
真

38

咣!

嗡!

时空旅行 是 不可能 实现的

是真是假?

我们都在一秒一秒地向前进行着时间旅行,那么我们是否能加快速度,比别人提前到达未来呢?这听起来像是科幻故事,但其实从理论上来说,也是有可能的。

科学揭秘

爱因斯坦证实了当我们在空间里运动时,我们在时间里穿行的速度会减慢。这在正常速度下几乎没什么区别,可是当我们能接近光速,我们的时钟就会比地球上其他人的慢许多,这样我们就可以到达地球的未来了。

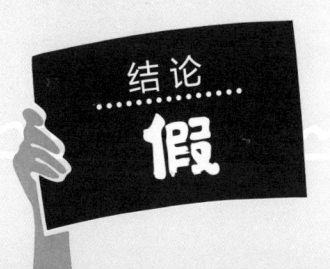

结论
假

白色光

是由彩虹的
所有颜色构成的

白色光看上去纯白无瑕，没有颜色。其实，它是由彩虹的7种颜色构成——红橙黄绿蓝靛紫。白色的太阳光经雨水折射后分裂出七色光，便形成了彩虹。

光的每一种颜色都有不同的波长：红色波长最长，紫色波长最短。当白色光照射在雨滴（或棱镜）上时，它就会被折射（波长的方向发生了改变）。红色光改变最小，而紫色光改变最大。因此我们看到的彩虹颜色便呈现出红橙黄绿蓝靛紫的分布顺序。

结论

真

40

一张纸最多只能对折7次

是真是假？

一张普通的纸，对折到第7次的时候就已经很费力了。不过，只要这张纸足够大，你的力气也够大，想对折多少次都没有限制。

折啊折……

对折42次，纸的厚度就能到达月球了；对折51次，纸的厚度能把你送到太阳上去；要是能对折103次，这张纸的厚度就能达到930亿光年——比目前已观测到的宇宙还要广袤。

科学揭秘

困难就在于，每对折1次，纸的厚度就成倍增长。一般纸的厚度是0.1毫米。对折10次后，它的厚度就和手掌的厚度差不多了。对折23次后，它的厚度将达到1 000米。

结论……

假

空气没有重量

空气看起来很轻，毫无重量，其实不然。我们之所以对它视而不见，唯一的原因就是我们对它已经习以为常。我们知道空气有质量，因为风吹过时，我们能感受到空气。在地球上（或任何有重力的地方），有质量的物体就一定有重量。

科学揭秘

在海平面上，我们头顶的空气每立方厘米会施加略多于1千克的压力。气压的作用是朝四面八方（上下、前后、左右）的，因此我们不会感觉被空气挤压。山顶的气压比较低，是由于那里空气比较稀薄。

给空气称重

空气的重量是用气压来衡量的。1643年，意大利数学家托里拆利发明了气压计，用于测量气压。

结论

假

42

抛球的同时转球可以让球飞起来

是真是假？

让球飞起来，看起来似乎不符合物理法则，但只要从高空将球抛下，同时给它施加一点小小的旋转力，球就能飞起来了。这种现象叫"马格努斯效应"，是以1852年提出这一理论的德国科学家马格努斯命名的。

科学揭秘

球在加速运动时旋转，它的旋转力会朝着一个方向向空气施力，而空气会从另一个方向对球施力。这样就会使下落的球在将要着地时先俯冲向下再向上飞起。

结论

真

43

地球上开采出来的金子很可能来自太空

是真是假?

地球几乎所有的金子都藏在地核，我们根本无法得到这些金子。而我们能开采到的金子很可能来自太空中的陨石和小行星爆炸。

科学揭秘

金子在剧烈的宇宙事件中产生，比如恒星相撞。恒星相撞时产生的能量让金子和一些别的物质飞入太空，它们又在其他恒星的引力作用下，最终跟随陨石和小行星落到地球上。

黄金遍地

地球到底有多少金子？这么说吧，地球的金子足以铺满整个地球的陆地表面半米厚，真可谓"黄金遍地"了。不过很不幸，深藏不露的地球把99.5%的金子都藏在地核里，我们根本别想得到。

结论
真

钻石是地球上最坚硬的物质

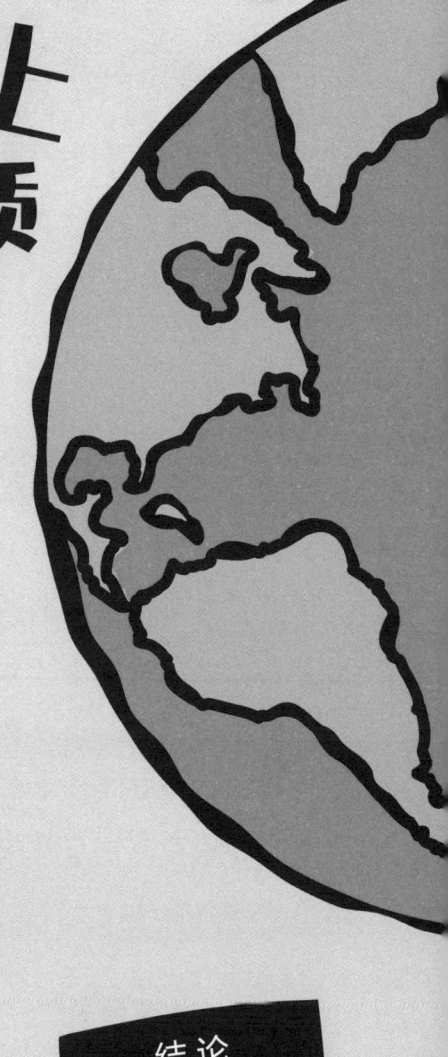

是真是假？

钻石以坚硬无比著称，这也使得它们可以被用来钻开最密的岩石。不过，近些年，实验室里和大自然中都发现了比钻石更坚硬的新物质。

科学揭秘

钻石之所以坚硬，是因为其紧密排列的碳原子结构，还有分子之间紧密的连接。而六方金刚石也是由碳原子构成的，但它是六边形晶体结构。实验表明，六方金刚石的硬度比钻石还要高58%。

结论
假

45

物体之所以能漂浮在水面上是因为它们比水轻

物体是漂在水面上还是沉在水里，和它们的质量无关，而是取决于它们的密度。这就是为什么质量极大的船会浮在水面上，而并没有多少质量的硬币会沉入水底。

别忘了还有表面积

物体的表面积越大，受到的水的浮力就越大，因此表面积大的物体更容易浮起来——这也是船能浮起来的又一个原因。

科学揭秘

密度是用来衡量物体内分子之间紧密程度的物理量。金属会沉入水里是因为它的密度比水大，而木头会浮起来是因为它的密度小于水。用钢铁做成的船也会浮起来，是因为船体内部是空气，空气的密度比水小。

结论
假

电磁的发现
纯属偶然

啊，真是意想不到！

19世纪初期以前，科学家都将电和磁视作两个独立存在的事物。然而就在1820年4月21日，一切都变了。这一天，丹麦科学家汉斯·奥斯特有了一个惊人的发现。在一次讲座上，他打开电流的开关，不料指南针上的磁针竟然动了起来。台下的听众没有注意到，可奥斯特注意到了，他这才意识到：电和磁是相互关联的。

科学揭秘

奥斯特的发现令科学家们认识到，电和磁共同构成一种叫"电磁"的力。这就是为什么当电流通过电线时，会在电线周围形成一个磁场。把电线绕在铁棒上，就能得到一个简易磁体，叫"电磁体"。

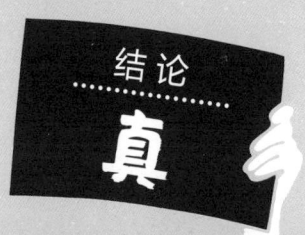

结论

真

47

光的传播速度是恒定不变的

科学揭秘

科学家计算出光的传播速度是每秒钟30万千米。不过这只是最快光速——光在太空等真空里的传播速度。光在密度较大的介质中，如空气、玻璃等，传播速度会减慢。

当光子（即光的粒子）穿过有密度的介质时，它们会被遇到的粒子吸收、发散，这个过程有减慢光速的作用。介质的密度越大，对光速的减慢就越多。

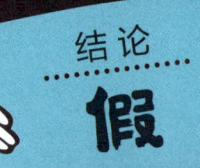

结论

假

一场飓风的降雨量够灌满2 200万个奥运会泳池

飓风会产生大量的雨水和风能。不仅能灌满那么多泳池，飓风平均还能产生600万亿瓦特的电能——相当于全球所有发电站总发电量的200倍。

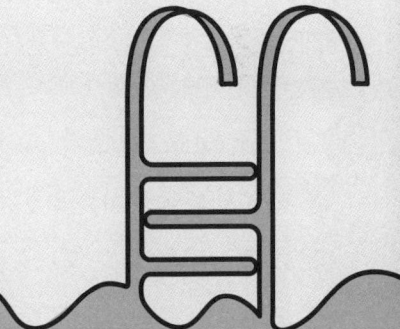

科学揭秘

飓风的能量只有0.25%以风能的形式出现。飓风的大部分能量都以热能的形式在水蒸气中存储和释放，并随雨水降落。

如何捕捉飓风的风能

目前我们的风涡轮机都太脆弱，根本承受不住飓风的袭击，不过新设计出来的涡轮机在上下两个平台间具有多层垂直叶片，可以收集飓风的能量，并将其转化为电能。

结论

真

49

开心果
会
自燃

是真是假？

开心果看起来人畜无害的，大多数时候它也确实没什么危害。不过当大量开心果囤积起来，并达到适宜的条件时，它们有时会自动升温，甚至爆炸！

科学揭秘

开心果储存在潮湿的环境中时，比如船舱中，会产生脂肪酸。开心果吸收氧气、释放二氧化碳时，会分解这些脂肪酸。而这一过程会释放热量，热量不断聚集，直到开心果着火。

令人窒息！

引发火灾就已经够恐怖了，可开心果还有一个更危险的属性。那就是如果大量开心果存储在没有通风设备的密闭空间，它们就会吸走空气中的氧气，导致人类窒息。

结论
· · · · · · · · · ·
真

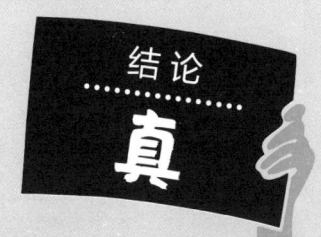

50

地球自转一圈是24小时

是真是假?

一天有24小时,地球绕地轴自转一圈需要一天的时间,那么地球自转一圈理所当然是24小时。其实,这种说法并非完全正确,精确地说,地球自转一圈的时间应该是23小时56分。

结论
假

科学揭秘

如果每天都比24小时差了4分钟,那么为什么清晨没有越来越提前?原因就是当地球绕着地轴自转的同时,它也在绕着太阳公转,所以地球需要多自转1度,我们才能每天都在天空中的同一位置看到太阳。我们记录日子的标准不是地球的自转,而是太阳在天空中的位置。

香皂可以让水更加湿滑

水的表面张力让它能在窗户玻璃上形成小水珠。香皂会减小水的表面张力，让它流淌得更加顺滑，清洁力更强。这一现象通常被描述为"让水更湿滑"。

科学揭秘

大多数污渍都含有油，而油不溶于水，因此水本身是不具备去油渍的能力的。而香皂可以弥补这一缺陷。每个香皂分子的一端和水结合，打破水的表面张力，同时，香皂分子的另一端和污渍结合。再一冲洗，污渍就被肥皂水一起带走了。

强大的表面张力

水的表面张力很强，因为水表层的分子和深层分子连接非常紧密，形成一层膜。这就是为什么一些水虫能在水面上滑行。

结论

真

鸭子的叫声没有回声

嘎嘎!

是真是假?

我们经常听到一种说法，说鸭子的叫声没有回声。说这种观点可能是因为鸭子的叫声比较小，而它们又生活在比较开阔的空间，这些地方远离高楼大厦，也没有崇山峻岭，所以无法让它们的叫声产生回声。事实是，这是一个误区，科学家已经辟谣了。

科学揭秘

2003年，一个科学研究小组将一只叫"黛西"的鸭子放在一间特制的屋子里，并记录下她的叫声。研究组发现，黛西的叫声悠长而缓慢，盖过了回声，因此回声不是那么容易被听到。误会大概就是这么来的吧。

结论

假

53

就算把磁铁劈成两半，它也有正负极

S N S N S N

科学揭秘

所有的磁铁都有两级——南极和北极。如果将一块磁铁劈成两半，会得到两块磁铁，每一块都有南极和北极。还可以继续把磁铁分成一个个小块，每一小块也都有南极和北极。

磁铁是由无数微小的磁铁集合而成，称为"磁域"。每个小磁铁聚集在一起，加强彼此的磁场。这也就是为什么能把磁铁切割成无数个小磁铁。不过，切的时候必须小心翼翼，如果切得很粗糙，排列好的磁域就会被打乱，小磁铁也就无法再加强彼此的磁场了。

结论

真

雷是闪电发出的声音

是真是假?

我们通常认为雷是闪电发出的声音。然而,我们听到的隆隆雷声其实是闪电周围的空气膨胀时发出的声音。

到底有多近?

要想搞清楚闪电离我们有多近,只需数出闪电和雷声之间的秒数即可。每秒代表大约300米。

科学揭秘

闪电击中地面时,地面会出现一道新的闪电,沿着第一道闪电的路径回到天空。这道上升闪电释放的热量会将周围的空气温度升高至27 000摄氏度。热空气先被压缩,然后爆炸。正是这个爆炸引起了雷声。

结论
假

没有任何物体的速度能超过光速

别眨眼，否则就错过我了！

是真是假？

我们经常听说没什么能比光速更快，这是真的吗？光子之间会相互"缠绕"，所以不论距离有多远，它们的传播方式都不会变。这么一看，似乎打破了"超过光速"的法则，除非改成"没有任何物体的速度能超过两个光子之间的光速"。

科学揭秘

未来或许有可能制造出一种比光速快的宇宙飞船，通过挤压飞船前方的时空、扩大飞船后方的时空来实现。这样的牵引会使飞船达到超光速。要想让这个可能变成现实，需要大量的能量，但并不是毫无可能。

膨胀的宇宙

宇宙本身就在以快于光速的速度膨胀。

结论

假

是真是假?

大多数固体的密度比液体大，因为固体的分子之间的连接比液体更紧密。冰是个例外，它的密度比水的密度小了将近9%。这就是为什么冰会浮在水面上

科学揭秘

水由一个氧原子和两个氢原子构成。水温降低时，氢原子会形成六边形结构，把氧原子排除在外。在六边形结构的中心有许多空隙，因此冰的密度比水小。

结论

真

世界上最精准的钟每900亿年慢一秒

量子气体原子钟是世界上最精准的钟。它通过原子极其规律的振动来计量时间。该原子钟坐落于美国科罗拉多大学博尔德分校。

科学揭秘

量子气体原子钟用的是锶原子。激光束照射在这些原子上，让它们保持零下273摄氏度的极低温度。这一过程让原子待在原地，也就无法彼此碰撞，因为碰撞会影响原子振动的精准度。

比普通秒表厉害得多！

量子气体原子钟的时间精度能精确至万亿分之一秒，可以用来测量自然界那些稍纵即逝的运动变化。

结论

真

58

我们能听到风吹的声音

我们常说风声呼啸，但其实并不是风本身发出了呼啸声。我们听到的实际上是空气从小型物体旁边流过或撞击这些物体的声音。

结论
假

科学揭秘

空气的流动是无声的，但空气和物体之间的摩擦可以引起呼啸的风声。你也许会说你可以听到树枝和树叶相互摩挲的声音，但你听到的其实主要是风吹在你的耳朵上、头上和身上的声音。这就是为什么即便身边空无一物时，我们也能听到风声。

59

手机会耗尽能量

手机其实不会"耗尽"或者"用光"能量。能量是不会增加或减少的。不管用不用手机,宇宙中能量的多少都是固定的——只是以一种形式转化为另一种形式罢了。

科学揭秘

手机电池里含有化学能,会转化为许多电子在电路中移动的电能。还有一些化学能转化为光能(所以屏幕会亮)、声能(所以手机会响),也会在手机使用时产生被废弃的热能(所以手机会发烫)。

结论

假

宇宙

大约有

138亿岁

是真是假？

我还年轻着呢!

据科学家估算，宇宙的年龄大约为138亿岁。他们通过寻找历史最久远的星星而得出这一结论，因为宇宙怎么也不可能比它里面所包含的星球更年轻。科学家推算出，这些星球至少有110亿岁。

科学揭秘

科学家还用到一个方法，那就是通过测量宇宙的膨胀程度来测算其年龄。如果能知道宇宙膨胀的速率，就能往前倒推出大爆炸，即宇宙诞生的时间。

哈勃常数

哈勃常数用来表示宇宙膨胀的速率，其名字来源于美国天文学家艾德温·哈勃，他于1929年发现了宇宙膨胀。

结论
....
真

原子

99.999

空间都

是真是假？

科学揭秘

原子几乎是空心的，而万事万物都是由原子构成，包括我们人类，因此，我们也是空心的。如果我们将构成人体的原子内部所有的空间都去掉，那么整个人类将浓缩得只有一块方糖那么大。

原子的大小是其原子核的10万倍，电子绕原子核的运行轨道距离原子核极其遥远，假设原子核有一粒豌豆那么大，那么原子的大小则相当于一个运动场。

内部 99.9%的 是空的

我们如何"隔空"接触事物?

既然我们都是空心的,那么我们是如何接触到其他事物的呢?其实我们并没有触碰到任何事物。当我们和别人握手时,并不是原子间的相互接触,我们感知到的实际上是自己的电子与他人的电子互斥所产生的电磁力。

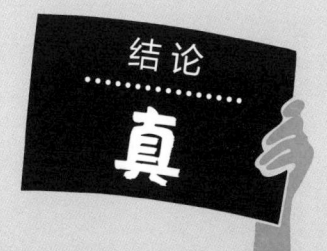

结论
·············
真

病毒能被"杀死"

啊，我"死"了！

病毒其实不是真的有生命。它们既不吃东西，又不会呼吸，也不会产生能量。病毒几乎完全依靠它们所占据的细胞"活着"。如果病毒单独存在，是什么都做不了的。因此，要说"杀死"病毒，可能不是很准确。我们可以说给病毒"灭活"，不过，这就好比说拔掉电脑的电源就能"杀死"电脑一样。

科学揭秘

有的科学家认为，病毒是有生命的，不过只是以生命的另外一种形式存在，更何况生与死的界限也许本来就比我们想象的要模糊得多。世界上病毒的数量比细胞还多，还有数百万种尚未被发现的病毒种类。关于病毒的研究，我们还有很多功课要做。

结论

假

（十之八九）

人类可以创造出新的元素

科学揭秘

已知的元素有118种，其中94种可以在自然界找到，其余都是实验室里生成的产物。人造的新元素不稳定，大多数都会很快衰变，变成别的元素。

每个元素的原子核里都有各自的质子数，即质子的数量。氢元素的质子数为1，碳元素的质子数为6。科学家在已有元素的原子核中注入多余的质子，由此制成人造元素。他们在粒子加速器里完成这一过程，这是一种可以推动粒子高速运动并相互撞击的机器。

新元素"镎"的诞生

1940年，科学家用中子轰击一份铀元素的样本。一个中子穿透一个铀原子，变成一个质子，于是新元素诞生了——这便是"镎"。

.....结论.....
真

"此刻"的概念其实并不存在

是真是假？

我们将时间划分为过去、现在和未来。过去和未来是什么，我们都很清楚，可是"现在"或"此刻"到底是什么？当你意识到"此刻"时，其实它已经过去并成为历史。"此刻"在时间的长河里稍纵即逝，因此，它也许根本就不存在。

科学揭秘

你也许会觉得"此刻"是存在的，因为我们正在经历此刻。我们铭记过去，展望未来，可我们活在当下，不是吗？事实上并非如此。我们的大脑需要花费大约十分之一秒来处理眼睛看到的事物，因此，我们看到的其实是已经过去的东西。这就是为什么想要拍死一只飞舞的苍蝇是如此困难！

结论
真

宇宙的起源"大爆炸"是一次

爆炸

是真是假？

宇宙正在膨胀，这表明它是由一个点膨胀而来。我们将其称为"大爆炸"。这一名称不免让我们联想到一次爆炸，不过，科学家认为，实际上并没有发生过爆炸。

没有爆炸空间

炸弹爆炸时，在空气里爆发。而"大爆炸"并没有可供爆炸的空间，而是自己创造了供自身膨胀的空间。

科学揭秘

如果"大爆炸"真的是一场爆炸，那么它的发生一定会有一个场所——一定会从某个中心点向外爆发形成宇宙。然而天文学家的研究证明，宇宙并没有所谓"中心"：万事万物都独立运行，和其他事物擦身而过。宇宙是在以同等速率向四面八方膨胀。

结论

假

67

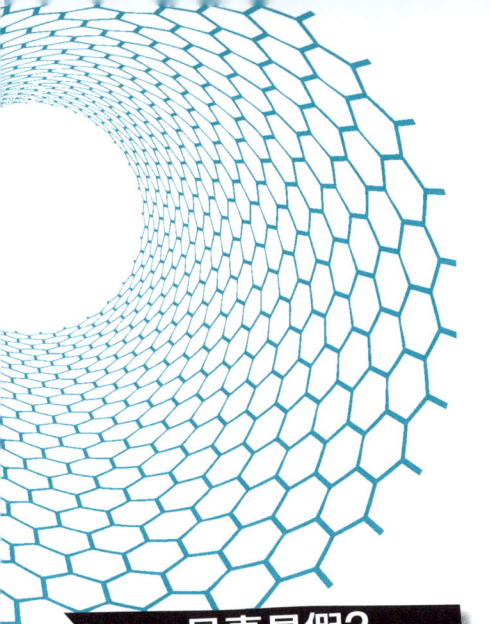

碳纳米管比发丝细，却比钢铁还坚硬

碳纳米管由单层碳分子卷成的薄片组成，这种结构叫"石墨烯"。碳纳米管不仅质量轻、强度高，还具有极好的导电和导热性能，且用途广泛，在未来有巨大的发展前景。

是真是假？

碳纳米管是由碳构成的极细管材。其直径只有头发的五万分之一，然而，别看它这么细，它可是比钢铁还要坚硬117倍。

发展前景

有朝一日，碳纳米管可能在各个领域发挥作用，从防弹衣、风力涡轮叶片、抗藻类涂料，到纤薄如纸的扬声器，再到医学诊断用的传感器，甚至通往太空的电梯。

结论

真

瞬间移动是不可能实现的

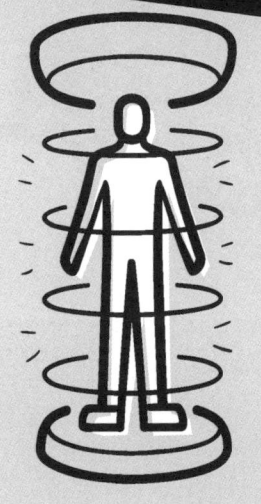 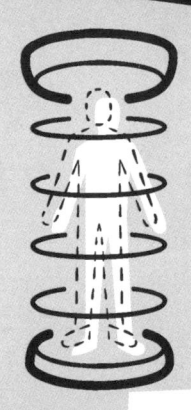

科学揭秘

是真是假？

瞬间移动是指人从一个地方转眼间移动到另一个地方，这种超能力目前还只存在于科幻小说里。然而，科学家已经成功将被称为"光子"的这种极细小粒子瞬移至500千米以外的地方。不过这只是信息的传输，而不是物质的位移。

一对粒子即使远隔天涯，也可能相互纠缠（两个粒子相互作用）。科学家用一对相互纠缠的粒子来发送有关第三方粒子的信息。他们扫描这个第三方粒子，发射信息波，再在另一个地方重建这个粒子。在瞬移的过程中，原来的粒子会被毁灭。

结论

假

三原色是红、蓝、黄

是真是假？

画家将红色、蓝色和黄色混合，调制出橙色、绿色等其他颜色。不过，从我们肉眼如何接收光线的角度来说，三原色应该是红色、蓝色、绿色。

印刷色

印刷机利用不同的原色来产生我们在书刊画报中所看到的各种色彩。印刷的三原色是青色、品红色和黄色。

科学揭秘

光线以不同的波长进入我们的眼睛，因此我们能看到不同的色彩。在我们眼球背面，有一些用来接收光线的感光锥。有的感光锥对红色敏感，有的对绿色敏感，还有的对蓝色敏感。我们的大脑将这些信息转化为我们看到的全部色彩。

结论
....
假

金子可以被压成看起来仿佛透明的薄片

就是要闪耀!

是真是假?

金是延展性最好的金属。金子可以被压至0.05微米的厚度，2 000片0.05微米厚度的金片摞起来也不过一张纸那么薄。金子在这么薄时就会变成透明的，可以用作太空面罩表面的镀金材料。这层镀金可以减少日光带来的眩光和热量。

科学揭秘

金之所以比其他金属延展性好，是因为其原子之间更容易滑动。相反，金属钨质地极为坚硬和易脆，是因为其原子之间连接非常紧密。

结论
真

牛顿被一颗苹果砸在头上从而发现了重力

是真是假？

有个流传很广的故事，说一颗苹果掉下来，正好砸在牛顿的头上，于是他顿悟，发现了重力。而据牛顿自己说，他看到一颗苹果落下来，不禁陷入思考：为什么它会垂直下落？这个想法促使他发展了他的重力理论。

科学揭秘

牛顿是第一位提出所有物体——大到月球，小到苹果——都受重力影响的科学家。

结论

假

从苹果到炮弹, 再到月亮

牛顿通过比较苹果竖直下落的过程和炮弹呈曲线下落的过程发现, 只要炮弹的速度快到一定程度, 它就永远不会掉在地上, 而是会一直"绕着地面下落", 就像月球绕着地球运行一样!

声音在水和钢铁中的传播速度大于在空气中的传播速度

是真是假？

你也许会认为声音在空气中传播速度最快，在液体中次之，在固体中最慢。事实上，情况正好相反。声音在水中的传播速度比在空气中快4倍多，而在钢铁中的传播速度是在空气中的17倍多。

科学揭秘

声音通过物质分子的振动传播。它在液体中比在气体中传播速度快，是因为液体的分子之间排列得更紧密，因此有更多的分子产生振动。固体分子之间的结构比水分子更加紧密，因此声音在固体里传播速度更快。

越热越快

声音的传播速度还受到温度的影响。天气较热的时候，声音传播更快，因为高温状态下的空气分子运动幅度更大，彼此之间的撞击也就更频繁。

结论

真

光是波，同时也是粒子

1803年，英国科学家托马斯·杨将一束光透过两道缝隙照射在墙上。墙上的花纹显示两道光线交织在一起，就像岸边的两朵浪花相撞荡起了一层层的波纹。1905年，爱因斯坦证明了如果将光线射向金属，会将光线里的电子撞击出来，光似乎是由粒子组成（这些构成光的粒子后来被称为"光子"）。由此可见，光有时是波，有时又是粒子。

光线在空间中像波浪一样前进，当它遇到物体时，会表现出粒子的特征，将其所有能量集中于一点。就好比一朵浪花在遇到冲浪的人时，会将全部力量都作用于这个人，而余波则会荡漾开来直至消失不见。

结论
真

75

只有光滑的
表面才能
反光

你也许认为只有像镜子、水或擦得锃亮的金属这些光滑的表面才能反光。其实，光线在任何表面都可以产生反射，只不过反射的方式不同。

结论
假

科学揭秘

当光线在光滑闪亮的表面反射时，反射光线的角度和入射光线的角度是一样的。它之所以看上去会闪闪发亮，就是因为许多光线朝着同一个方向反射。这种情形被称为"镜面反射"。而当光照射到粗糙的物体表面时，它会朝着四面八方不同的方向反射。这种情形被称为"漫反射"。

静止不动的物体没有能量

我们通常认为一道波或快速飞过的子弹这样运动的物体才具有能量，但其实物体在静止不动时也有能量。一张拉满的弓，箭在弦上，引而待发，它是有能量的；一把高高举起的榔头，即将落下，砸向钉子，它是有能量的；一辆加满了油的汽车，停在路边，静止不动，它也是有能量的。科学家将这些能量称为"势能"。

科学揭秘

当一个物体内部充满张力（比如拉长的橡皮筋），或当一个物体与其他物体有相对位置关系时（比如即将从悬崖上滚落的巨石），它就具有势能。

势能转化为动能

弦上的箭射出去时，势能就转化为动能（即运动的物体所具有的能量）。

结论
假

热量总是会上升

热量并不总是上升，它会向任何方向扩散。热气总是会上升，但热量和热气不是一个概念。

科学揭秘

热量的发散有三种途径：第一，高温的物体会以能量波的方式释放热（热辐射），加热它们要接近的物体；第二，如果一个高温物体和另一个物体接触，热量可以通过接触面传递给另一个物体（热传导）；第三，如果一个高温物体被放在空气中或水中，它可以把热量带到空气中或水中（热对流）。如果高温物体接触到空气，热气会上升，但不会很快，你站在炉火旁感受一下就知道了。

结论
假

塑料分解可能需要 上千年

科学揭秘

物质的分解速度各不同。橘子皮要6个月，装牛奶的纸盒子要5年，塑料的分解则需要上千年，这就是为什么塑料废弃物能让我们的地球陷入污染危机。

大多数废弃物要靠细菌分解掉，但可以分解塑料的细菌却少之又少。塑料的分解要在阳光下暴晒，太阳光里的紫外线可以破坏塑料长分子链之间的连接，但这一过程要持续数百年甚至上千年。

把塑料吃掉

科学家发现一种细菌，其产生的酶能把塑料吃掉。科学家如果能在实验室里更好更快地制造这种酶，或许可以用来解决塑料废弃物的麻烦。

结论

真

79

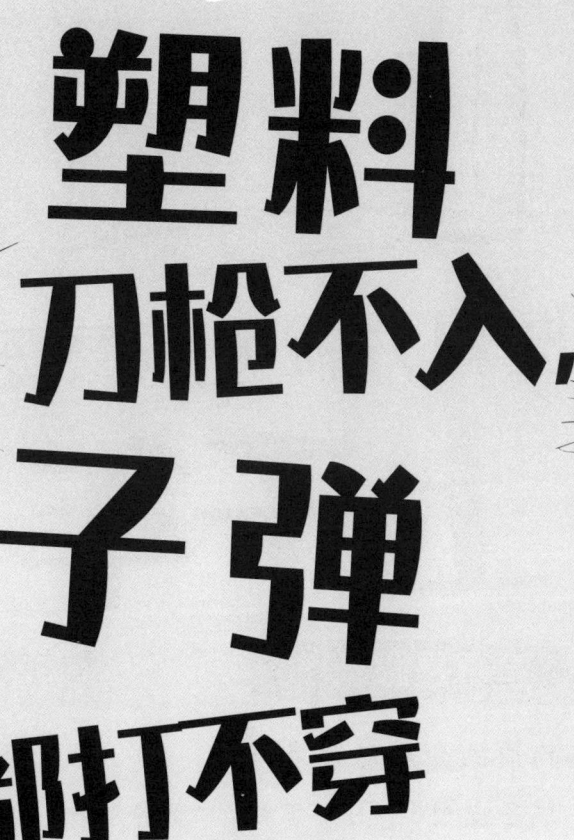

塑料
刀枪不入,
子弹
都打不穿

是真是假?

　　凯夫拉芳纶纤维是一种可以用来制作防弹衣的塑料制品,它比钢铁还要坚硬,但密度只有钢铁的1/5.5,因此用它制成的防弹衣轻便又富有弹性,穿着非常舒适——不像中世纪骑士穿的铠甲!

凯夫拉芳纶纤维的化学结构是由许多平直的杆状结构相互连接而成。这种原料被纺织成细密的塑料纤维，这些纤维极其难以断开。子弹打到这种物质上，为了努力寻找出路，会耗费全部或大多数的能量。

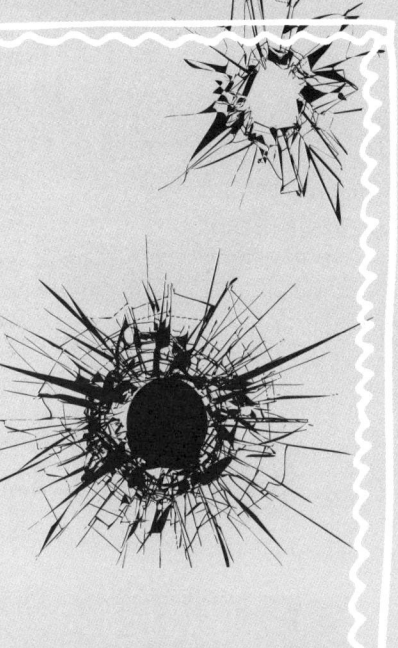

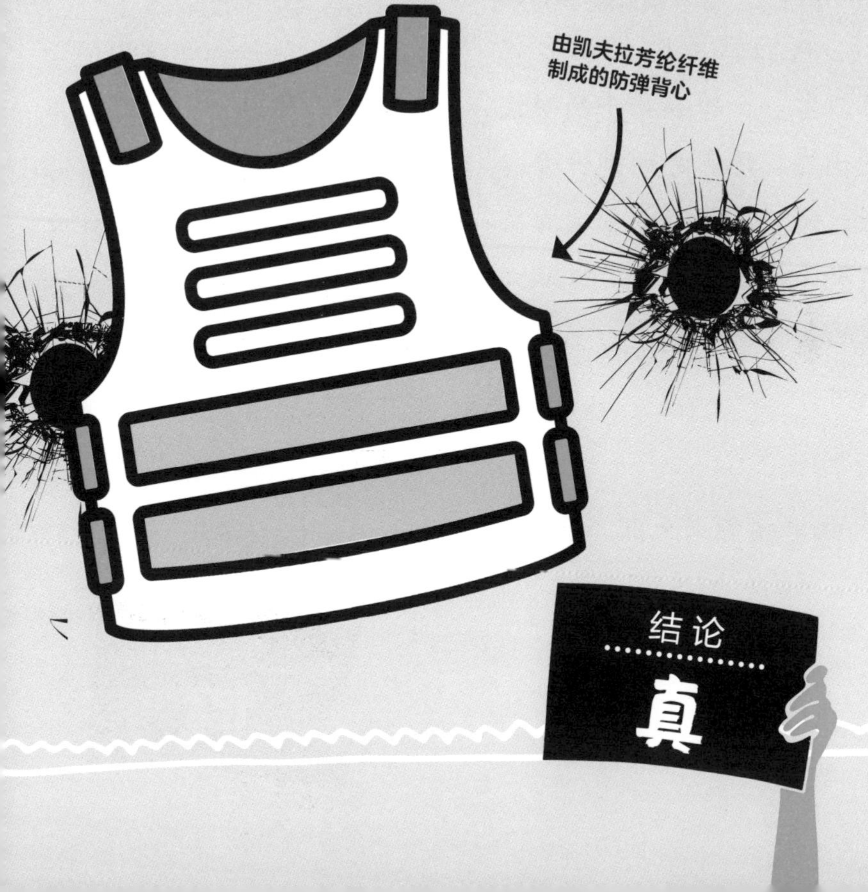

由凯夫拉芳纶纤维制成的防弹背心

结论
真

磁力比重力大

是真是假？

我们经常听说磁力比重力大。一块非常小的磁铁的确能把地上的曲别针吸起来，所以这种情况下磁力确实大于重力。不过，这并不意味着任何时候磁力都大于重力。

科学揭秘

在小体量的物体上，重力比磁力弱得多。但是如果到了天体这么大量级的事物身上，重力就比磁力大得多了。这是因为物体之间的距离拉开时，它们之间的重力减小得较慢，而磁力却会快速减弱。

随着距离增大而减少

如果两个物体之间的距离增加1倍，它们之间的重力会减少至1/4，而磁力会减少至1/16。

结论
假

水——¡
水——！

地球上有记录的
最高温
比太阳中心还要热

科学揭秘

2012年，科学家在坐落在日内瓦的大型强子对撞机中短暂地创造出了5.5万亿摄氏度的高温。这一温度比1 500万摄氏度的太阳中心热多了。

科学家让原子以光速的99%的速度相互撞击，从而创造了这一温度。他们这么做是为了制造"夸克胶子等离子体"——这是一种存在于大爆炸刚发生时的物质。在宇宙诞生之初的这几微秒，万物都是滚烫的，原子尚未产生，占据天地间的就是这种被叫作"夸克胶子等离子体"的微小粒子。

结论

真

83

宇宙差点被反物质扼杀在摇篮里

反物质听上去就像仅存在于科幻小说中的东西，但其实它是真实存在的。当物质和反物质相遇时，它们会同归于尽。大爆炸时，宇宙中产生的物质和反物质数量是相当的，所以当时刚诞生的宇宙差一点被毁灭。科学家仍在苦苦探索为何宇宙没有被毁灭。一些科学家认为，物质的数量略大于反物质，物质才得以险胜。

科学揭秘

每种物质的粒子都有其对应的反物质粒子，两种粒子几乎相同，但反物质粒子具有相反的电荷。因此，电子带有负电荷，而它的反物质粒子正电子则带有正电荷。反物质粒子很稀有，但当遇到诸如宇宙射线穿透地球大气层这种情况时，也会产生瞬时的反物质粒子。

结论

真

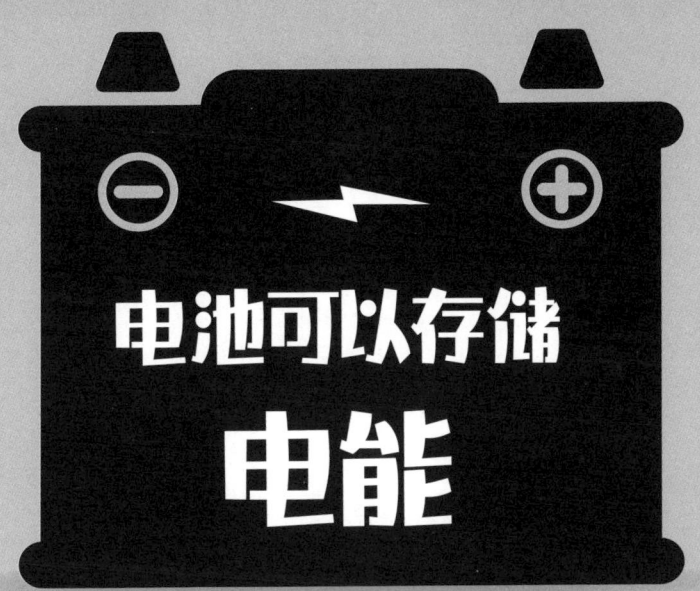

电池可以存储电能

电池可以产生电，但它不会存储电能。它存储的是化学能，并将化学能转化为电能。

科学揭秘

电池有正电极（阴极）和负电极（阳极），两极之间由一种叫"电解液"的导电液体隔开。能量储存在正电极、负电极和电解液这三部分的物质中。当电池工作时，阴极和阳极发生化学反应，电子从阳极流向阴极，产生了电能。

电池没电了

电子从阳极流向阴极时，逐渐形成化学物质，产生了电阻。电阻日积月累，化学反应就变得越来越慢，电子也停止了流动，不再产生电能，于是电池的电就用完了。

结论 ....
假

85

黑洞会发光

黑洞是太空中一片具有巨大压力的区域。你可能会认为，什么都逃不出黑洞的重力引力。然而在1974年，英国科学家斯蒂芬·霍金发现黑洞是有辐射的，可以发出放射线。

科学揭秘

在黑洞的边缘，重力非常大，所以正负粒子对并不总是相互毁灭。它们还没来得及相互毁灭时，负粒子就会掉进黑洞，而正粒子则逃走了。这就是黑洞发出放射线的原理。

正负粒子对

从非常小的层面而言，太空从来都不是"空"的。即使是在真空里，粒子对也会不断出现，一个带正极能量，一个带负极能量。它们会几乎同时将对方毁灭。

结论

真

86

在水里加盐会降低水的沸点

是真是假？

在一锅水里加盐会让水开得更快一些，但这不是因为盐降低了水的沸点。这只是意味着盐水达到沸点需要的热量比纯净水少一些。

科学揭秘

加盐实际上会让水的沸点升高，因为这样会使水分子更不易变成水蒸气从锅里散发出去。因为水温升高得很快，所以我们无法察觉到这一点。

结论

假

掉在地上的食物五秒钟内捡起来还能吃

这种说法叫"五秒定律"。也不知道为什么,我们总是说服自己认为,只要掉在地上的三明治在五秒钟内被捡起来,细菌就还没来得及爬上去。不过很遗憾,五秒定律完全是假的!

科学揭秘

科学家验证了这一理论,他们发现,不论你多迅速地把掉在地上的食物捡起来,细菌都有办法沾在食物上。并且,食物在地上待的时间越长,沾上的细菌就越多。除此之外,表面湿度大的食物更容易沾上细菌,比如一块切开的橙子。总之,无论如何,掉在地上的东西最好还是别吃了。

88

结论

假

科学是真相的集合

科学很容易被想象成一个存在于网络上和书本里的知识体系，要想掌握"科学"这门科学，只需熟读所有这些资料即可。然而，科学远不止这些事实。

结论

假

科学揭秘

科学是一场永无止境的探索，既新奇刺激，又充满活力。每一天都会有无数新发现诞生，刷新或加深我们对宇宙的认知。做科学研究，了解真相只是其中的一个部分；科学研究还需要提出问题，收集数据，得出结论并验证这些结论。

89

词汇表

半球：球状物体（如地球）的一半。

表面张力：液体表层由于表面和下面分子之间的强力连接而产生像皮肤一样的张力。

病毒：一种极细小的寄生物，只能在宿主细胞内复制再生。

波长：波（光波或声波等）的两个波峰之间的距离。

超光速：比光的速度快。

赤道：绕地球表面中央一圈的一条虚拟的线，这条线到地球两极的距离相等，将地球分为南北两个半球。

传导：物体导电或导热的过程。

磁场：磁铁周围的区域，磁力在此区域产生作用。

大爆炸：宇宙在极端的温度和压力条件下急速膨胀，科学家认为大爆炸标志着宇宙的起源。

大气：包围在行星或恒星等大型天体外的一层气体。

大气压：大气的重量所产生的压力。

地幔：地球的组成部分，位于地壳和地核之间，由密度较大的半熔融状岩石构成。

等离子体：一种包含正电子的气体，在极高的温度下形成，存在于恒星中。

电：一种能量形式，因电子或质子等带电粒子的存在而产生。

电场：带电粒子周围的区域。电场内的带电粒子之间相互产生作用力。

电磁体：将电线绕在铁棒上，并给电线通电而形成的磁体。和天然磁体的磁场不同，电磁体的磁场可以通过控制流经电磁体的电流来改变。

电荷： 指物体的带电属性，可分为正电荷和负电荷。

电极： 输入或导出电流的介质。

电子： 带有负电荷的粒子，存在于所有的原子中，并通过固体导电。

动量： 描述物体运动状态的量，物体的质量和速度相乘就是动量。

放射性： 原子核放出射性的性质。

分解： 事物被分成更小更简单的部分。

分子： 两个或两个以上原子结合在一起所形成。

辐射： 一种指散发或释放能量的过程，通常以光、热、声等波或粒子的形式出现。

惯性： 静止不动或运动中的物体在受到外力的作用时继续保持不动或继续沿直线向前的现象。

光子： 光或其他形式的电磁波的粒子。

碱金属： 一种有光泽、质地软、反应性强的金属。

晶体： 由对称有序地排列的原子或分子形成的固体物质。

静电： 一种电荷，通常由摩擦产生，会引起电火花和噼啪声，还会将灰尘或头发等吸起来。

绝缘材料： 一种不导电（或不易导电）的物质。

可延展的： （形容材料）可以被锻造或压缩成任意形状而不会损坏或断裂。

空气阻力： 空气中存在一种力，可以减缓物体在空气中的运动速度。

离子： 由于失去或获得一个或多个电子而带有电荷（正电荷或负电荷）的原子。

粒子： 用来描述任何比原子小的成分，包括电子、光子、质子等。

酶： 生物体产生的一种可以加速（或减缓）等化学反应（如消化食物）的化学物质。

密度： 形容物质的紧实程度。

摩擦： 物体在物质表面或其内部运动时遇到的阻力。

湿度： 大气的潮湿程度。

时空： 时间和三维空间构成的四维结构。

微波： 一种电磁波，波长比无线电波短，比红外线长。

细菌： 一种单细胞微生物，有的可以引发疾病。

音障： 物体接近声速时出现的不断增长的空气阻力和其他作用效果。

宇宙射线： 蕴含极大能量的粒子流，以接近光速的速度穿透宇宙。

原子： 化学元素中最小的粒子。

原子核： 原子最核心的部分，包含质子和中子，带正电荷。

折射： 使光线改变方向。水、空气或玻璃都可以折射光线。

真空： 一个完全空的空间，不包含任何物体或物质。

蒸汽： 物质在接近沸点上下时的气态形式。

质量： 衡量物体里物质含量的单位。

质子： 带正电荷的粒子，存在于所有原子的原子核中。

中子： 一种不带电荷的粒子。除氢原子外，所有原子的原子核里都有中子。

重力： 两个物体之间的引力，其强度取决于这两个物体的质量大小。

重量： 重力作用于物体质量上的力。

紫外线（UV）： 一种电磁能，其波长比光波短，但比X射线长。